D0974354

DU MÊME AUTEUR

Aux Éditions Gallimard

PARTIR, 2006 (Folio n° 4525)

GIACOMETTI. LA RUE D'UN SEUL suivi de VISITE FAN-TÔME DE L'ATELIER, 2006

LE DISCOURS DU CHAMEAU suivi de JÉNINE ET AUTRES POÈMES, 2007 (Poésie/Gallimard n° 427)

SUR MA MÈRE, 2008 (Folio n° 4923)

AU PAYS, 2009 (Folio n° 5145)

MARABOUTS, MAROC, 2009 avec des photographies d'Antonio Cores, Beatriz del Rio et des dessins de Claudio Bravo

LETTRE À DELACROIX, 2010 (Folio n° 5086) précédemment paru en 2005 dans *Delacroix au Maroc* aux éditions F.M.R.

HARROUDA, 2010

BECKETT ET GENET, UN THÉ À TANGER, 2010

JEAN GENET, MENTEUR SUBLIME, 2010

L'ÉTINCELLE. RÉVOLTES DANS LES PAYS ARABES, 2011

Aux Éditions Denoël

HARROUDA, 1973 (Folio n° 1981) avec des illustrations de Bau-doin, Bibliothèque Futuropolis, 1991

LA RÉCLUSION SOLITAIRE, 1976 (Points-Seuil)

Aux Éditions du Seuil

LA PLUS HAUTE DES SOLITUDES, 1977 (Points-Seuil)

Suite des œuvres de Tahar Ben Jelloun en fin de volume

PAR LE FEU

TAHAR BEN JELLOUN

de l'Académie Goncourt

PAR LE FEU

récit

RETIRÉ DE LA COLLECTION UNIVERSELLE
Bibliothèque et Archives nationales du Québec

nrf

GALLIMARD

© *Tahar Ben Jelloun et les Éditions Gallimard, 2011.*

1.

En rentrant du cimetière où il venait d'enterrer son père, Mohamed sentit que le fardeau qu'il portait s'était alourdi. Il était courbé, vieilli, marchait lentement. Il venait tout juste d'avoir trente ans. Jamais il n'avait fêté son anniversaire. Les années passaient et se ressemblaient. La pauvreté, le manque, une résignation vague assuraient à sa vie une tristesse devenue avec le temps naturelle. Comme son père, il ne se plaignait jamais. Il n'était pas fataliste ni même religieux.

La disparition du père bouleversait ses plans. Il était l'aîné et donc désormais le responsable de la famille. Trois frères et deux sœurs. Une mère diabétique mais encore valide. Sa dernière recherche d'emploi n'avait rien donné, une fois de plus, et l'avait rendu nerveux. Ce n'était pas une question de chance ou de hasard. C'était plutôt, disait-il, un problème d'injustice et lié au malheur d'être né pauvre. Il n'allait plus s'asseoir devant le siège du ministère des Finances pour protester contre le chômage. Des diplômés chômeurs avaient trouvé du travail, pas lui. Sa licence en histoire n'intéressait personne. Il aurait pu enseigner, mais l'Éducation nationale ne recrutait plus.

Il sortit son vieux cartable caché dans l'armoire à linge, le vida de tous les papiers et documents qu'il contenait, y compris l'attestation de son diplôme, fit un petit tas avec dans l'évier et brûla le tout. Il regarda les flammes avaler les mots, comme par hasard elles contournèrent son nom et sa date de naissance. Avec un bout de bois il ranima le feu jusqu'à ce que tout devînt cendre. Sa mère alertée par l'odeur se précipita :

— Mais tu es fou ! À quoi ça t'avance de brûler ton diplôme ? Comment vas-tu faire à présent pour demander un poste d'enseignant ? Trois années parties en fumée !

Il ne répondit rien, ramassa la cendre, la jeta dans la poubelle, nettoya l'évier, se lava les mains puis s'en alla. Il était calme, n'avait aucune envie de parler ou de justifier son geste. À quoi bon garder un bout de papier qui ne lui servait à rien ? Son visage était fermé. Sa mère lui rappela qu'il fallait qu'il aille lui acheter son médicament. Le pharmacien lui ferait crédit. Il s'assit sur un banc et fixa le sol où il suivit le voyage d'une colonne de fourmis. Il demanda une cigarette à un garçon qui les vendait au détail, l'alluma et la fuma lentement. Les fourmis avaient déposé leur chargement et repassèrent dans l'autre sens.

2.

Sa décision était prise : il reprendrait la charrette de son père. Elle était en mauvais état. Il fallait réparer les roues, changer une planche qui avait pourri, faire réviser la balance et se mettre en contact avec Bouchaïb, le fournisseur de fruits et légumes.

Où trouver l'argent ? Sa mère avait vendu tous ses bijoux lorsque son mari était tombé malade et n'avait plus rien. Il avait bien entendu parler du « microcrédit ». Il se renseigna, on lui donna un gros dossier à remplir. Tant de

11

paperasse le découragea aussitôt. Il commen-
çait à regretter d'avoir mis le feu à ses diplômes.

Mohamed avait gagné un voyage à La
Mecque à la tombola de la faculté des lettres
où il avait étudié. Pour une fois qu'il avait eu
de la chance, il ne pouvait pas en profiter.
Qu'allait-il faire d'un billet d'avion ? D'abord
il n'avait aucune envie d'aller faire le pèle-
rinage à La Mecque, ensuite il n'avait pas
l'argent nécessaire pour accomplir le rite ; il
aurait bien aimé que la compagnie d'aviation
lui rembourse ce billet, mais elle ne voulait
rien entendre. Il ne lui resta plus qu'à trouver
un pèlerin à qui le revendre. Il réussit à en
tirer le tiers du prix mais dut encore graisser
la patte de l'employé de l'agence pour qu'il
accepte de changer le nom figurant sur le
billet. Muni de son petit pécule, il fit réparer
la charrette et se mit enfin à vendre des oranges
et des pommes.

3.

Mohamed savait que Bouchaïb était un
homme grossier et surtout malhonnête ; son

père le lui avait souvent dit. Il prétendit aussitôt que le père avait laissé des dettes chez lui, et que les deux dernières factures étaient impayées. Comment le vérifier? Il fallait s'arranger avec ce type, car il était le seul qui faisait crédit — imposant une majoration de 10 à 15 pour cent. Mohamed ne discuta pas, lui donna une avance pour deux caisses d'oranges et une caisse de pommes; il emporta aussi quelques barquettes de fraises.

Bouchaïb le prit à part et lui demanda à voix basse des nouvelles de sa petite sœur. Mohamed lui répondit qu'elle se portait bien et qu'elle préparait son bac.

— Tu sais, ton père me l'avait promise. Je veux me marier, fonder une famille, on pourrait même devenir associés. Tu ne vas pas t'en sortir avec la charrette. Il y a de la concurrence et puis, pour avoir un bon emplacement, il faut être en bons termes avec la police.

Mohamed le regarda, baissa la tête et s'en alla sans rien dire.

Il ne savait pas vraiment où se poster. Certains se déplaçaient, d'autres s'étaient trouvé leur emplacement stratégique, en général à côté d'un feu rouge ou d'un rond-point. Il s'aperçut vite que les meilleures places étaient déjà prises. Il choisit donc de pousser sa char-rette tout en s'arrêtant de temps en temps. Il criait en vantant ses oranges et ses pommes. Mais avec le bruit des klaxons, c'était inutile. Personne ne l'entendait. Comme il faisait une pause un instant à côté de la boutique d'un épicier, celui-ci le chassa aussitôt en l'insul-tant : « Ça va pas ? Et moi qui paye patentes et taxes, comment je vais m'en sortir si tu te mets juste devant moi ? Allez, dégage ! »

Cette première journée, il la passa donc tout entière à circuler de rue en rue. Il parvint tout de même à écouler plus de la moitié de sa marchandise. Il comprit qu'il devrait se lever très tôt le lendemain s'il voulait une bonne place avant que tous les autres n'arrivent.

Pendant le dîner il regarda sa jeune sœur et l'imagina dans les bras de Bouchaïb. Il eut honte. Une jeune fille innocente entre les mains d'une brute. Jamais.

4.

Après le dîner il apprit à sa mère que Bou-chaïb lui réclamait de l'argent.

— Ton père ne supportait pas d'avoir des dettes ; il les payait le plus tôt qu'il pouvait. Bouchaïb est un salaud. Il n'a pas de preuves. Laisse tomber. As-tu pensé à m'acheter mon médicament ? Il ne me reste plus qu'un comprimé.

Mohamed sortit un carton plein de livres et les étala devant la maison pour les vendre. Des livres d'histoire, des romans en collection de poche et puis *Moby Dick* en version originale, relié cuir ; c'était le prix qu'il avait reçu en quatrième année du secondaire pour être arrivé premier en anglais. Il vendit trois livres, juste de quoi acheter le médicament. Il garda *Moby Dick* dont personne n'avait voulu. La nuit, il en relut quelques pages et se rendit compte qu'il perdait un peu son anglais. Avant de s'endormir, il pensa à la belle Zineb, celle qu'il aimait depuis deux ans ; mais sans argent, sans travail, sans logement, impossible de se marier. Il était malheureux, que pouvait-il lui promettre, lui qui n'avait rien à lui offrir ? Il pensa qu'il y avait des priorités, qu'il réussirait s'il faisait les choses les unes après les autres et que Zineb l'attendrait.

5.

Zineb travaillait comme secrétaire chez un médecin. Elle aimait sincèrement Mohamed. Comme elle était fille unique, elle lui avait proposé de l'épouser et de venir vivre chez ses parents. Mais Mohamed était fier, impensable pour lui d'être à la charge de sa femme et d'habiter chez ses beaux-parents.

Le plus souvent ils se donnaient rendez-vous au café. Ils parlaient beaucoup, tournaient en rond, puis éclataient de rire. Cela faisait plus de trois mois qu'ils n'avaient pas pu se retrouver seuls pour faire l'amour. La dernière fois, la cousine de Zineb leur avait prêté son petit appartement parce que sa colocataire était en voyage.

— Un jour, disait Zineb, nous nous échapperons du tunnel; je te le promets; je le vois, je le sens. Tu auras un bon travail, je quitterai ce médecin visqueux et nous ferons notre vie; tu verras.

— Oui, un jour, mais tu sais bien que jamais je ne monterai dans ces barques douteuses pour devenir un clandestin. Je connais ton plan : le Canada! Oui, nous irons tous au Canada et nous irons aussi tous au paradis.

C'est écrit quelque part. Mais pour le moment je dois nourrir une famille nombreuse, soigner ma mère et me battre pour trouver un bon emplacement pour ma charrette.

Zineb prit ses mains et les baisa. Il fit de même.

6.

Il s'était réveillé à six heures. Il essaya de faire le moins de bruit possible pour ne pas réveiller ses frères qui dormaient avec lui dans la même chambre. Il y avait Nabile, vingt ans, guide touristique non agréé, et qui avait souvent des problèmes avec la police. Il y avait Nourredine, dix-huit ans, lycéen, mais qui travaillait dans une boulangerie du vendredi soir au lundi matin. Et puis il y avait Yassine, quinze ans, intelligent, fainéant, beau et spirituel. Il promettait à sa mère de devenir millionnaire et de l'emmener visiter les pyramides.

Mohamed fit sa toilette, avala un morceau de pain et sortit sa charrette sur laquelle il avait déposé le carton de livres. À l'angle de leur rue étroite, un agent de la circulation l'arrêta :

— C'est la charrette du vieux ; où est-il ?

— Mort.

— Et toi tu prends le relais comme si de rien n'était ?

— C'est quoi le problème ? Ce n'est pas interdit d'essayer de gagner honnêtement sa vie ?

— Insolent avec ça ! Tes papiers…

Mohamed lui donna tous les documents qu'il avait sur lui.

— Manque l'assurance. Tu imagines, tu écrases un enfant, qui paye ? Toi ?

— Depuis quand il faut une assurance pour une charrette de fruits ? C'est nouveau.

L'agent sortit un carnet et se mit à écrire tout en regardant de biais Mohamed. À un moment il lui dit :

— Tu fais l'idiot, celui qui ne veut pas comprendre.

— Je ne fais rien du tout ; c'est toi qui fais tout pour m'empêcher d'aller travailler.

— Allez, c'est bon, mais pense à l'assurance, c'est pour ton bien que je te dis ça.

À deux mains, il se servit d'oranges et de pommes ; en croqua une, et dit, la bouche pleine :

— Allez, circule, va…

7.

Mohamed trouva un bon emplacement, il était encore assez tôt. Il arrêta la charrette et attendit. Une première voiture s'arrêta, le conducteur baissa la vitre et commanda : « Un kilo de chaque et choisis-les bien. » Les clients suivants étaient moins pressés ; ils descendaient de la voiture, palpaient les fruits, demandaient le prix, marchandaient et finissaient par acheter quelques oranges.

Une heure plus tard arriva un autre marchand avec une charrette décorée, plus alléchante et bien mieux approvisionnée, notamment avec des fruits exotiques, chers et rares. Il avait une clientèle d'habitués. D'un regard et d'un léger signe de la tête, il fit savoir à Mohamed qu'il devait quitter les lieux. Il obéit sans protester. Le voilà de nouveau à errer. Il pensa qu'il avait tout de même fait une bonne matinée et que la prochaine fois il proposerait davantage de choix.

À la fin de la journée il avait tout vendu. Il se rendit chez Bouchaïb pour renouveler son stock.

Le soir, malgré la fatigue, il passa voir Zineb chez ses parents qui l'aimaient bien. Il lui raconta sa journée, ils mangèrent des crêpes et se séparèrent.

8.

Pendant ce temps, la mère de Mohamed recevait la visite d'un agent de police en civil. Il lui posa des questions sur Mohamed et lui demanda pourquoi il ne fréquentait plus le groupe des « diplômés chômeurs ». La pauvre répondit avec ses mots, pleine d'hésitation et d'inquiétude. L'agent lui remit une convocation à laquelle son fils devait se rendre le soir même. Elle se mit aussitôt à pleurer, sachant que la police n'apportait jamais de bonnes nouvelles. Elle crut bon de lui dire : « Mon fils ne fait pas de politique. » Il ne réagit pas et s'en alla.

Quand elle remit le papier à Mohamed, il le regarda puis le fourra dans sa poche.

— J'irai tout à l'heure. On doit me poser des questions. Si je n'y vais pas, ils viendront me chercher et là ce sera grave.

— Mon fils, cette visite a fait monter le sucre

dans le sang. Je le sens, j'ai la bouche sèche et je ne me sens pas bien.

— Ces gens-là sont payés pour nous créer des problèmes ; si tu cherches un peu, tu découvriras que le flic est issu d'une famille aussi pauvre que la nôtre. Mais, comme tu sais, les pauvres ne s'aiment pas entre eux...

9.

Au commissariat, Mohamed attendit longtemps sur un banc. De temps en temps il se levait, tentait de trouver quelqu'un qui pourrait lui dire pourquoi il avait été convoqué. Tout le monde l'ignorait. Il pensa que c'était de l'intimidation. On lui avait déjà fait le coup au début de la manifestation des diplômés sans travail. À côté de lui, un vieil homme, visiblement très marqué par la misère, ne disait pas un mot et somnolait. Que pouvait-on reprocher à cet homme qui toussait et crachait, et qui aurait été mieux dans une chambre d'hôpital. Mohamed s'éloigna de lui. Il avait peur d'attraper la tuberculose.

Il y avait aussi une femme en djellaba, elle fumait cigarette après cigarette et pestait contre la vie.

— J'étais heureuse dans ma campagne ; pourquoi, mon Dieu, j'ai épousé cet imbécile qui maintenant m'a abandonnée ?

Elle prenait Mohamed à témoin :

— Je me prostitue ! Je n'ai pas de honte à le dire. Mais un jour tout ça va changer, tu verras, j'ai toujours eu de l'intuition. Ça peut pas durer...

Vers minuit un homme lui fit signe de le suivre.

Vérification d'identité.

Interrogatoire classique.

Le policier était intrigué par le fait qu'il ne fréquentait plus ses anciens camarades de lutte. Il voulait savoir s'il avait été débauché par des islamistes.

— Non, c'est la mort de mon père qui a bouleversé ma vie. J'ai repris sa charrette, notre gagne-pain.

— Oui, je sais. Comment ça marche ?

— J'ai à peine commencé.

— Tu sais, il n'y a pas de miracle ; il y a ceux qui se débrouillent et se font pas mal de fric et puis il y a les autres, les naïfs, les pauvres types. À toi de choisir.

Mohamed mit du temps à comprendre le marché que lui proposait le policier : devenir un indicateur et avoir un emplacement rentable ; refuser de servir la police et dire adieu à son commerce.

— Réfléchis bien. Demain je te retrouve au rond-point de l'Indépendance. Rentre chez toi.

Le lendemain il savait que, s'il se présentait au lieu-dit, il serait contraint d'accepter la proposition du flic.

Tôt le matin il prit son étal et se dirigea vers un quartier populaire éloigné du fameux rond-point.

10.

Le diabète de sa mère n'était pas équilibré. Il fallait changer de médicament et revoir le médecin. Il fit son calcul. Pas assez d'argent pour faire face à cette dépense imprévue. Il décida de l'emmener à l'hôpital public. Sa sœur de dix-sept ans les accompagna. Mohamed les laissa à l'entrée et partit vendre sa marchandise. Il s'aperçut que l'entrée de l'hôpital était un excellent emplacement. Les visiteurs achetaient des fruits pour les offrir aux malades. Au bout d'une heure, deux agents de police dont une femme se présentèrent devant lui :

— Papiers.

Il leur donna les papiers.

— Ce n'est pas ton quartier. Qu'est-ce que tu es venu faire ici ?

— J'ai amené ma mère consulter ; elle a du sucre dans le sang.

— Enfant béni ! C'est bien, mais tu seras encore mieux béni si tu dégages d'ici. Cette fois-ci on ne te fera pas payer la contravention. Tu es prévenu. Plus jamais ici. C'est compris ?

— Mais c'est mon gagne-pain.

— La terre de Dieu est vaste.

Il aurait voulu leur répondre que Dieu visiblement n'aimait pas les pauvres et que la terre était vaste mais seulement pour ceux qui avaient les moyens. Il se dit : « Pas la peine d'aggraver mon cas ; ils sont capables de m'arrêter pour athéisme. »

Il n'était peut-être pas athée, mais, depuis

que des islamistes intervenaient un peu partout, il avait pris ses distances avec la religion.
Son père avait l'habitude de lui dire : « Le
croyant est disposé au malheur ; Dieu le met à
l'épreuve ; alors patience, mon fils ! »

11.

Au moment où Mohamed s'apprêtait à
partir, une voiture s'arrêta à son niveau.
L'homme, qui avait l'air pressé, lui demanda
de peser la marchandise et de la mettre dans
un grand couffin qu'il lui tendit. « Je t'achète
tout. C'est la fête aujourd'hui, mon fils a réussi
son bac, tu te rends compte, je vais l'envoyer
faire des études en Amérique, oui monsieur,
en Amérique, parce que ici tu étudies jour et
nuit et puis il n'y a pas de boulot, mais quand
tu débarques avec un diplôme américain, ils
te prennent tout de suite ; je suis content ; c'est
mon seul fils, les filles je ne les compte pas, je
n'arrive pas à les marier, personne n'en veut…
Bon, dépêche-toi, vite, vite. Ça fait combien ?
Calcule vite, si tu veux je vais t'aider. » Il sortit
son téléphone portable et se mit à calculer

sous la dictée de Mohamed. « Bon, le tout ça nous fait 253 rials. Tiens : trois billets de 100. Tu les mérites. Tu es un bon gars, ça se voit. »

Mohamed poussa sa charrette, direction le marché en gros. Il n'irait plus chez Bouchaïb. Il payerait comptant.

12.

En fin d'après-midi, il rangea sa charrette et partit attendre Zineb à la sortie de son travail. Devant lui il découvrait une population jeune, nombreuse, active. Il était assez stupéfait par le nombre de petits métiers que des jeunes inventaient pour vivre : il y avait des vendeurs de cigarettes américaines au détail ; des laveurs ultrarapides de voitures ; des accompagnateurs de personnes âgées ayant du mal à se déplacer ; des vendeurs de cartes postales qu'ils avaient eux-même dessinées ; des fabricants de jouets en canettes de limonade ; des vendeurs de carte géographique du pays, de photos de Michael Jackson et de Ben Harper ; des acrobates habillés en rouge qui faisaient des tours de passe-passe ; des dresseurs de singes, d'autres de perroquets ; d'autres encore proposaient des DVD de films piratés — il y en avait pour tous les goûts, des films indiens, américains récents, des films classiques, égyptiens, français ; il y avait aussi des conteurs avec un micro au revers de la veste… Il ne manquait que les charmeurs de serpents, les voyantes, les sorciers et autres charlatans.

Puis brusquement ce fut la panique. Tous les petits vendeurs se mirent à courir pour échapper aux agents de la sécurité qui les poursuivaient. Ils en attrapèrent deux, violemment, le dresseur de perroquets et le vendeur de DVD. Des coups, des insultes. Le perroquet hurlait. Les DVD étaient écrasés par terre. Il y avait notamment le film *Spartacus* joué par Kirk Douglas. Ne subsistait du film que la pochette. Les deux types furent embarqués dans une fourgonnette « Sûreté Nationale ». Mohamed eut envie de crier, mais il pensa à sa mère, à toute la famille. Il ravala sa colère et se dit : « Il faut que je voie Zineb. »

Il était content de la retrouver. Il lui raconta sa journée et évita de parler de l'agression de la police contre les petits vendeurs ; il lui proposa d'aller manger du poisson au restaurant populaire du port. Ils riaient comme des enfants perdus au milieu d'une superbe prairie un jour de printemps. Il lui dit : « La police a vaincu Spartacus ! Il a été écrabouillé sous les roues de la fourgonnette. »

13.

Ils rentrèrent à pied. Sur le chemin, ils virent des enfants des rues faire un feu pour se réchauffer. L'un d'eux demanda une cigarette. « Je ne fume pas, mais tiens prends ça, achète-toi de quoi manger. »

Des fourgonnettes de la Sûreté Nationale roulaient au ralenti. Des prostituées se firent contrôler. Zineb remarqua qu'une des filles glissait un gros billet dans la poche d'un des flics. Classique. Ça se passe comme ça.

Ils reparlèrent du mariage.

— Il faut attendre ; je commence à peine à travailler. Il faut que je réussisse un gros coup.

— Tu veux parler de quoi ?

— Non, pas un hold-up ! Mais j'aimerais beaucoup ouvrir une boutique au marché. Je sais qu'un de nos voisins est malade ; il a une boutique bien située au marché central. Ce serait formidable qu'il me la cède ; je le payerai au fur et à mesure ; je me suis renseigné, ses enfants ne veulent pas reprendre l'affaire, ils sont ingénieurs, techniciens, pas de problème de boulot. Ce serait l'idéal. Ma mère a prévu de lui en parler.

— Tu as raison. Mais j'en ai marre d'attendre. Il nous faut un lieu pour nous, même une cabane, rien qu'un tout petit trou, un débarras...

14.

À la maison, la vieille télé était allumée. Une émission célébrait les trente ans de règne du président de la République. On le voyait en compagnie de sa femme qui avait pris beaucoup de poids. Ils étaient maquillés, bien habillés, trop bien habillés, trop propres, pas un cheveu ne dépassait, le sourire gras et satisfait. La caméra les suivait dans leur palais, à travers des jardins impeccables, aux arbres taillés au centimètre près, et où des arrosoirs automatiques déversaient de l'eau sur le gazon. La femme du Président commenta : « Mon mari travaille tellement, il faut que je le force à prendre quelques instants de repos ; Dieu merci, le pays marche bien, les citoyens sont reconnaissants ; ils nous expriment tous les jours leur soutien, car ils se rendent compte que le pays avance et que la prospérité est là ! »

Le Président fit un signe de la main comme s'il saluait un enfant.

Ces images étaient accompagnées d'une musique sirupeuse qui énervait Mohamed. Sa mère somnolait. Ses frères et sœurs se préparaient pour aller dormir. Yassine lui montra son bulletin scolaire, partout la même chose : « Enfant intelligent, élève doué, mais fainéant, peut mieux faire… » Il rigola puis dit : « Je m'ennuie en classe ; de toute façon, à quoi ça sert les études, t'as vu toi, t'as bossé comme un fou et après : pas de boulot, tu reprends la charrette de papa. »

Mohamed essaya de lui redonner un peu d'espoir mais c'était difficile. Il y avait trop d'injustices dans le pays, trop d'inégalités et d'humiliations.

Yassine lui raconta qu'en revenant de l'école il avait vu un homme battu par des policiers. Il hurlait, les gens s'arrêtaient, mais personne n'intervenait. « Je l'ai reconnu, c'est le concierge de l'immeuble en verre, tu vois, celui à l'autre bout de notre quartier, celui qu'ils ont renvoyé, on ne sait pas trop pourquoi ; là, il avait volé une poule, c'était bizarre, la poule criait comme lui car il ne voulait pas la lâcher. Il en a reçu des coups… »

15.

Tôt le matin Mohamed partit faire ses achats. Il prit un choix plus large de fruits. En sortant du marché, il rencontra un ancien camarade de lutte. Il avait été embauché à la mairie.

— À la mairie, je ne fais rien. Je suis dans un bureau avec quatre autres fonctionnaires. Certains ont des dossiers, moi pas. Je m'ennuie. Je n'ai pas encore été payé, ça fait six mois. Je vis à crédit. Je crois qu'on a nommé des diplômés juste pour nous faire taire, mais au fond ils n'ont pas de postes pour nous. Et toi ça va ?

— Comme tu vois.

Ils se dirent au revoir. Dix minutes plus tard, alors que Mohamed attendait à un feu rouge, deux hommes en civil lui demandèrent de se mettre sur le côté.

— Qu'est-ce que vous vous disiez, ton copain et toi ?

— Rien.

Une première gifle le surprit. Mohamed hurla, et reçut un coup de poing dans le ventre.

— Ta gueule. Allez, comment s'appelle ton copain ?

— J'ai oublié son nom.

Nouvelle gifle. Des passants s'arrêtèrent. L'un des deux flics les chassa en les menaçant :

— Dégagez ! C'est un voleur, on fait ça pour vous protéger, alors laissez-nous faire notre boulot.

Mohamed criait : « Ce n'est pas vrai ! Je ne suis pas un voleur ! »

Voyant les gens s'avancer, l'un des flics renversa la charrette et abandonna Mohamed avec son chargement par terre.

Les gens le consolèrent ; l'aidèrent à ramasser ses fruits ; les fraises étaient foutues ; les gens parlaient :

— C'est dégueulasse ! Quelle honte ! S'en prendre à un malheureux vendeur...

— Ils se comportent comme dans les films

sur la Mafia… Ils veulent leur pourcentage, les salauds !

— Ça ne peut plus durer ! Un jour ou l'autre, Dieu fera briller la vérité.

— Dieu est avec les riches !

Disputes.

— Mécréant ! Infidèle ! Dieu est avec tout le monde ! Dieu est partout.

Les gens décidèrent de lui acheter ses fruits par solidarité. Il leur offrit les barquettes de fraises.

Mohamed n'avait plus envie de travailler, il était écœuré.

Il rentra chez lui, rangea sa charrette et décida d'aller profiter de l'absence de ses frères pour dormir et récupérer un peu.

Il fit un rêve. Son père, tout de blanc vêtu, lui faisait signe de le rejoindre. Il parlait mais Mohamed ne l'entendait pas. Il n'avait aucune envie de retrouver le défunt. Soudain sa mère apparut et lui dit : « Ne fais pas attention à ce qu'il te demande ; il est chez Dieu, peut-être au paradis. »

Le matin il se réveilla contrarié car le rêve était d'un réalisme puissant.

16.

Il était temps que Zineb et lui aient chacun un téléphone portable. Mohamed en acheta deux d'occasion au souk populaire. Des portables simples. Pas d'abonnement, juste une carte rechargeable, qui lui permettait de recevoir des appels même quand le crédit était épuisé.

Mohamed décida d'améliorer encore son étal. Sur un côté il installa un presse-orange manuel pour faire des jus. Sur l'autre il disposa un peu mieux les différents fruits. Il suspendit aussi une ardoise avec les prix. Et pour faire joli, il accrocha une photo de la chanteuse Oum Kalthoum. Il s'était même acheté un chasse-mouches.

Mohamed était voué à être marchant ambulant, vu que toutes les bonnes places étaient occupées par ceux qui collaboraient avec la police. Mais ce matin il décida de retourner aux environs de l'hôpital où il vendit pas mal.

Et puis deux agents arrivèrent et commencèrent à rôder autour de lui.

— Oum Kalthoum ! T'aimes sa voix ? Nous aussi. Mais pourquoi t'as mis la photo d'une vieille chanteuse morte il y a longtemps et pas celle de notre Président bien-aimé ? Que Dieu lui donne longue vie et prospérité !

— Je n'y ai pas pensé. Si vous voulez, j'enlève la photo de la chanteuse.

— Non, tu la gardes, et tu mets au-dessus une belle photo de notre cher Président, et plus grande que celle d'Oum Kalthoum. O.K. ?

— O.K.

Les agents repartirent. Il avait encore des sueurs froides. Il en avait assez de ce harcèlement quasi quotidien. Il appela Zineb, lui raconta l'incident.

— Ils veulent que tu cèdes. Ce sont des pourris. Corrompus jusqu'à l'os. Je t'admire de résister.

— Ai-je le choix ?

— Bon, on se verra ce soir ?

— Oui, à ce soir.

Il trouva un vieux journal avec un portrait du Président imprimé sur toute une page et essaya de l'accrocher sur son étal. Mais chaque fois la page tombait. Il la plia et la rangea sous une des caisses. Il la sortirait si on lui réclamait de nouveau une photo du Président.

17.

Alors que Mohamed attendait ses clients dans une rue assez passante, un vendeur de jounaux s'arrêta et lui tendit un journal en arabe où était écrit en première page : « Scandale : un député de la majorité arnaquait des diplômés chômeurs en leur faisant remplir des dossiers pour émigrer au Canada ; 500 rials le dossier ; 252 victimes ; le député n'est pas inquiété. »

Mohamed était au courant de cette escroquerie dont il avait failli être victime — mais il n'était jamais arrivé à rassembler la somme réclamée pour « frais de dossier ».

Le vendeur de journaux lui dit :

— Tu vois, on peut tout écrire, tout dénoncer, mais ça ne sert à rien ; le salaud est toujours député ; il a ramassé un bon magot et la justice ne fait rien contre lui.

— Tu sais, ça ne me surprendrait pas qu'un jour l'un des gars escroqués lui tranche la gorge ; après tout, on peut toujours se faire justice soi-même.

Mouvement de panique.

Mohamed comprit que la police devait faire une rafle ; il se mit à pousser énergiquement sa charrette et se cacha dans une ruelle. Des chats se disputaient autour d'une poubelle renversée ; des enfants jouaient avec des pistolets en plastique.

Il respira profondément, s'accroupit, prit sa tête entre les mains ; il eut envie de tout balancer et d'en finir, une bonne fois pour toutes. Mais il repensa à sa mère, il revit le visage de Zineb, ses frères, ses sœurs... il se leva et sortit dans la grand-rue.

18.

Cela faisait plus d'un mois que Mohamed parvenait à travailler malgré les innombrables embûches qu'il rencontrait. Ce matin, pourtant, il eut un mauvais pressentiment. En sortant sa charrette, une roue s'était détachée. Il ne sut pas si c'était par hasard ou si c'était un sabotage. Car il avait eu des ennuis avec des voisins qui lui reprochaient ses critiques du régime. Un jour, le mari lui avait dit :

— Si tu continues ainsi à dire du mal du gouvernement, tu vas nous attirer des emmerdements ; qu'est-ce que t'as à tout dénigrer ; tu veux que tout le monde soit riche ? Tu es communiste, c'est ça ? Tu as intérêt à te calmer, parce que, dans ce pays, quand la police arrête quelqu'un on ne sait pas dans quel état elle le rend.

— Tu vois, toi aussi tu critiques le gouvernement.

— Non, moi je constate ; moi je suis bien, la vie est belle.

Et il se mit à crier à tue-tête : « Vive le Président, vive la Présidente… »

Mohamed entreprit de réparer sa roue. Des enfants l'entourèrent. Ils voulaient tous l'aider. La charrette fut rapidement remise sur pied et il s'en alla.

Au premier carrefour, un agent de police l'arrêta.

— Où tu vas comme ça ?

— Je vais travailler.

— Permis de travail ?

— Tu sais bien que ça n'existe pas.

— Oui, je sais, mais ça peut exister sous d'autres formes.

Mohamed fit semblant de ne pas comprendre.

L'agent :

— Tant pis pour toi, ça risque de te coûter beaucoup plus cher… à plus tard.

Mohamed partit sans se retourner. Il croisa un cortège funéraire. Curieusement, il y avait beaucoup de monde et certaines personnes portaient le drapeau national.

Mohamed demanda qui on enterrait :

— Un pauvre homme, comme toi et moi. On ne sait pas exactement dans quelles circonstances. Il a été arrêté la semaine dernière pour une histoire liée à l'Internet ; et puis hier ses parents ont retrouvé son corps ; il avait été déposé devant leur porte.

— Tué par la police ?

— Évidemment, dit l'homme à voix basse, mais on n'a pas de preuves. C'était un type formidable, il travaillait dans un café et puis, le soir, il jouait sur l'Internet.

Mohamed suivit le cortège en poussant sa charrette. Il remarqua que des policiers en civil prenaient des photos.

Après l'enterrement, il partit au marché en gros.

19.

Ce fut violent. Il n'eut même pas le temps de se relever. Deux agents de police en tenue, dont une femme, le jetèrent par terre et s'emparèrent de sa charrette :

— Confisquée !

— Oui, t'as pas le droit de faire de la vente clandestine, t'as pas de permis, pas de patente, tu ne payes pas d'impôts, tu voles l'État, alors c'est fini, ton chariot est confisqué.

L'agent femme :

— Maintenant tu dégages. Tu recevras une convocation pour comparaître au tribunal. Allez, fous le camp !

Mohamed était toujours par terre, car l'autre agent continuait de lui donner des coups de pied.

Des badauds s'arrêtèrent. Certains protestèrent. Les flics les menacèrent. Une jeep arriva. Un gradé en descendit ; il se fit expliquer la situation ; il remonta dans sa jeep et disparut.

Puis une camionnette de police s'arrêta. D'autres flics en sortirent et ramassèrent la marchandise tombée de la charrette. L'un d'entre eux se servit au passage et croqua même une des pommes.

Mohamed, impuissant, ne dit rien, puis déguerpit.

Il errait dans les rues, abasourdi par ce qui venait de lui arriver, incapable de penser. Sans s'en rendre compte, ses pas le menaient vers la municipalité. Il demanda à parler au maire. Le concierge tourna son index sur sa tempe pour lui signifier qu'il était fou :

— Tu crois que tu vas voir le maire comme ça ?

— Pourquoi pas, il faut que je lui parle.

— Qui es-tu pour lui parler ? T'es riche ? T'es important ? Allez, va, laisse-moi boire mon thé tranquillement.

Mohamed insista.

— Alors son adjoint...

— Ils sont tous dehors, le gouverneur inaugure une nouvelle mosquée.

— Et demain ?

— Si je peux te donner un conseil : laisse tomber...

— D'accord, mais avant il faut que je te dise pourquoi je veux parler au maire.

— Pourquoi ?

— La police a confisqué mon outil de travail, la charrette sur laquelle je vends des fruits. C'est mon gagne-pain.

— Et tu penses que le maire va se mettre mal avec la police pour tes beaux yeux ?

— Pour la justice.

— Tu es spécial, toi ! D'où tu sors ? Où as-tu vu de la justice dans ce pays ? fit le concierge en baissant un peu la voix.

Puis il fit le tour du bâtiment et revint quelques instants après armé d'un gourdin.

— Dégage ! Sinon je te casse ta jolie figure.

Mohamed n'insista plus.

20.

Le soir il vit Zineb. Elle proposa de l'accompagner chez le maire. Elle eut une autre idée :

— Et si on allait directement chez le chef de la police ?

— Pourquoi pas ?

Ils partirent au commissariat central.

Aucun agent n'était au courant de son histoire. Zineb parla la première.

— Eh bien, si c'est comme ça on porte plainte pour vol !

— Tu portes plainte contre la police ? Où

tu te crois, en Suède? fit l'agent, avec un sourire mauvais.

— Nous voulons juste récupérer notre gagne-pain.

— Je vous comprends, donnez-moi vos cartes d'identité, que j'en fasse une photocopie et je vous contacterai s'il y a du nouveau.

Zineb n'avait pas confiance; elle refusa, tira Mohamed par le bras et ils s'en allèrent.

Ils marchèrent longuement dans les rues. Ils se tenaient par la main, parfois par la taille.

Une voiture s'arrêta à leur niveau.

Des policiers en civil :

— Vos papiers.

— Mais vous n'êtes pas mariés. C'est illégal de marcher à cette heure-ci dans les rues désertes.

Zineb fit la maligne et supplia l'agent de ne pas les dénoncer :

— Mon père est très violent. S'il vous plaît, laissez-nous, nous allons rentrer, nous ne faisions rien de mal.

— O.K., circulez, ça ira pour cette fois.

Ils rentrèrent chacun chez soi.

Mohamed passa une nuit très agitée; il n'avait pas raconté ce qui s'était passé à sa mère, la contrariété faisait monter le sucre dans le sang, disait son père.

21.

Tôt le matin, Mohamed fit sa toilette. Pour la première fois depuis la mort de son père, il décida de prier. Il se changea, s'habilla tout en blanc. Sa mère dormait, il s'approcha d'elle et lui baisa le front sans la réveiller. Il jeta un coup d'œil sur ses frères et sœurs. Il sortit en courant. Il emprunta la vieille mobylette de son frère, s'arrêta à une station et demanda qu'on remplisse de gasoil une bouteille d'eau en plastique vide. Il plaça la bouteille dans une sacoche et partit vers la mairie.

Là, il demanda à voir un responsable.

Personne ne voulut le recevoir.

Il retourna sur le lieu où les deux agents lui avaient confisqué sa charrette.

Ils étaient là, la charrette dans un coin. Vide.

Mohamed se présenta et demanda à récupérer son bien.

L'agent lui donna une gifle magistrale en l'insultant :

— Tiens, espèce de rat, fous le camp avant que je t'étripe, allez ouste !

Mohamed esquissa un geste pour se défendre. La femme agent le gifla à son tour et lui cracha au visage :

— Sale type, tu nous gâches notre petit déjeuner, mal élevé, fils de rien…

Mohamed était prostré. Il ne parlait plus, ne bougeait plus, son visage était immobile, ses yeux rouges, ses mâchoires crispées, quelque chose allait éclater, il resta dans cette position durant deux ou trois minutes, autant dire une éternité.

L'agent homme :

— Allez dégage, ta charrette, tu ne la reverras plus. C'est fini, tu nous as manqué de respect. Et ça, ça se paye dans notre pays bien-aimé.

Mohamed avait la bouche sèche, sa salive devint amère. Il respirait avec difficulté. Il se dit : « Si j'avais une arme, je viderais tout le chargeur sur ces salauds. Je n'ai pas d'arme, mais j'ai encore mon corps, ma vie, ma foutue vie, c'est ça mon arme… »

22.

Mohamed s'éloigna. Il enfourcha sa mobylette et retourna en direction de la mairie.

Une fois arrivé, il attacha la mobylette
contre un poteau, demanda de nouveau à être
reçu par le maire ou l'un de ses adjoints. Le
concierge était encore plus furieux que la
veille. Mohamed pensa à la bouteille de gasoil
dans sa sacoche, arrangea sa tenue blanche et
fit le tour de la place. Les gens ne le remar-
quèrent pas.

C'était un matin de décembre ensoleillé.
Un 17 décembre. Dans sa tête beaucoup
d'images se précipitèrent dans une grande
confusion : sa mère alitée, son père dans le
cercueil, lui à la faculté des lettres, Zineb sou-
riante, Zineb en colère, Zineb le suppliant de
ne rien faire, sa mère qui se lève et le réclame ;
le visage de la femme qui l'a giflé ; qui le gifle
de nouveau ; son corps penché en avant
comme s'il se donnait à un bourreau ; le ciel
bleu ; un arbre immense qui le protège ; lui
dans les bras de Zineb sous l'arbre ; lui enfant
en train de courir pour ne pas rater l'école ; sa
prof de français qui lui fait des compliments ;
ses examens à la faculté ; le diplôme montré à

ses parents; le diplôme accroché à une pancarte sur laquelle est écrit « chômeur » ; son diplôme qui brûle dans l'évier chez lui; de nouveau l'enterrement de son père; des cris, des oiseaux, le Président et sa femme avec d'immenses lunettes noires; la femme qui le gifle; l'autre qui l'insulte... un cortège de moineaux traversant le ciel; Spartacus; une fontaine publique; sa mère et ses deux sœurs qui font la queue pour prendre de l'eau; de nouveau les flics le brutalisant; des insultes; des coups; des insultes; des coups...

Une dernière fois il demanda que le maire le reçoive. Refus et insultes. Le concierge le poussa avec son gourdin et le fit tomber. Puis Mohamed se releva en silence. Il alla se poster juste en face de l'entrée principale de la mairie, sortit la bouteille de gasoil de sa sacoche, s'aspergea de haut en bas, jusqu'à ce que la bouteille soit vide. Ensuite, il alluma son briquet Bic rouge, regarda une seconde la flamme et l'approcha de ses habits.

Le feu prit tout de suite. Quelques minutes. La foule accourut. Le concierge de la mairie hurlait. Essayait d'éteindre le feu avec sa veste. Mohamed se transformait en torche. Lorsque l'ambulance arriva, le feu était éteint, mais Mohamed avait perdu toute ressemblance avec un être humain. On aurait dit un mouton grillé, tout noir.

Le concierge pleurait :

— Tout ça c'est ma faute, j'aurais dû l'aider…

23.

Mohamed est à l'hôpital. Tout son corps est enveloppé d'un bandage. Comme un linceul. Il est dans le coma. Agitation dans les couloirs. Des médecins en blouse blanche et des infirmières se précipitent dans le couloir qui conduit à la chambre de Mohamed. Le Président est là ; le Président vient s'enquérir du sort de Mohamed. Le Président n'est pas content. Il se renseigne sur le maire qui a refusé de le recevoir. Il donne l'ordre de le renvoyer. Le Président est en colère. Il apprend que la presse internationale parle de l'affaire.

Le Président suivi par une horde de médecins entre dans la chambre.

Scènes obscènes et ridicules.

Tout le pays est en révolte. Zineb, les cheveux attachés, prend la tête d'une manifestation. Elle crie, hurle, lève le poing.

Mohamed décède le 4 janvier 2011.

Des manifestations partout aux cris de : « Nous sommes tous des Mohamed. »

Le Président quitte le pays comme un voleur. Son avion se perd dans la nuit étoilée.

24.

Des manifestations dans le pays.

La photo de Mohamed, victime et symbole.

Les télévisions du monde entier affluent dans le pays et rendent visite à sa famille.

Un producteur de cinéma vient même les voir. Il tend une enveloppe à la mère éplorée et lui dit :

— Acceptez cette aide ; ce n'est rien, mais tel est le destin, cruel et injuste.

Il se baisse et murmure à l'oreille de la vieille femme en larmes :

— Surtout, ne parlez à personne ; n'accordez aucun entretien à des journalistes ; je vais vous aider ; c'est moi qui raconterai l'histoire de Mohamed, il faut que les gens du monde entier sachent ce qui s'est passé ; Mohamed est un héros, une victime et un martyr. Nous sommes bien d'accord ? C'est à moi et rien qu'à moi que vous parlerez. Je vous laisse, et puis, si vous avez besoin de quoi que ce soit, voici ma carte, voici aussi un téléphone portable pour m'appeler.

La mère ne comprenait rien à ce que disait cet individu. Mais ses deux filles, elles, avaient bien saisi : ce type achète la mort de notre frère pour se faire du fric ! Quelle horreur, quelle horreur absolue ! L'histoire de Mohamed n'appartient à personne ; c'est l'histoire d'un homme simple, comme il y en a des millions, qui, à force d'être écrasé, humilié, nié dans sa vie, a fini par devenir l'étincelle qui embrase le monde. Jamais personne ne lui volera sa mort.

MOHA LE FOU, MOHA LE SAGE, 1978 (Points-Seuil). Prix des Bibliothécaires de France, Prix Radio-Monte-Carlo, 1979

LA PRIÈRE DE L'ABSENT, 1981 (Points-Seuil)

L'ÉCRIVAIN PUBLIC, 1983 (Points-Seuil)

HOSPITALITÉ FRANÇAISE, 1984, nouvelle édition en 1997 (Points-Seuil)

L'ENFANT DE SABLE, 1985 (Points-Seuil)

LA NUIT SACRÉE, 1987 (Points-Seuil). Prix Goncourt

JOUR DE SILENCE À TANGER, 1990 (Points-Seuil)

LES YEUX BAISSÉS, 1991 (Points-Seuil)

LA REMONTÉE DES CENDRES suivi de NON IDENTI-FIÉS, édition bilingue, version arabe de Kadhim Jihad, 1991 (Points-Seuil)

L'ANGE AVEUGLE, 1992 (Points-Seuil)

L'HOMME ROMPU, 1994 (Points-Seuil)

ÉLOGE DE L'AMITIÉ, Arléa, 1994 ; réédition sous le titre ÉLOGE DE L'AMITIÉ, OMBRES DE LA TRAHISON (Points-Seuil)

POÉSIE COMPLÈTE, 1995

LE PREMIER AMOUR EST TOUJOURS LE DERNIER, 1995 (Points-Seuil)

LA NUIT DE L'ERREUR, 1997 (Points-Seuil)

LE RACISME EXPLIQUÉ À MA FILLE, 1998; nouvelle édi-tion, 2009.

L'AUBERGE DES PAUVRES, 1999 (Points-Seuil)

CETTE AVEUGLANTE ABSENCE DE LUMIÈRE, 2001 (Points-Seuil). Prix Impac 2004

L'ISLAM EXPLIQUÉ AUX ENFANTS, 2002

AMOURS SORCIÈRES, 2003 (Points-Seuil)

LE DERNIER AMI, 2004 (Points-Seuil)

LES PIERRES DU TEMPS ET AUTRES POÈMES, 2007 (Points-Seuil)

Chez d'autres éditeurs

LES AMANDIERS SONT MORTS DE LEURS BLES-SURES, Maspero, 1976 (Points- Seuil). Prix de l'Amitié franco-arabe, 1976

LA MÉMOIRE FUTURE, Anthologie de la nouvelle poésie du Maroc, Maspero, 1976

À L'INSU DU SOUVENIR, Maspero, 1980

LA FIANCÉE DE L'EAU suivi de ENTRETIENS AVEC M. SAÏD HAMMADI, OUVRIER ALGÉRIEN, Actes Sud, 1984

ALBERTO GIACOMETTI, Flohic, 1991

LA SOUDURE FRATERNELLE, Arléa, 1994

LES RAISINS DE LA GALÈRE, Fayard, 1996

LABYRINTHE DES SENTIMENTS, Stock, 1999 (Points-Seuil)